Dispute à la récré

www.editions.flammarion.com

© Flammarion, 2011
Éditions Flammarion - 87, quai Panhard-et-Levassor, 75647 Paris Cedex 13
ISBN : 978-2-0812-4800-7 - N° d'édition : L.01EJEN000585.C012
Dépôt légal : octobre 2011
Imprimé en Espagne par Liberdúplex - mai 2016
Loi n° 49-956 du 16 juillet 1949 sur les publications destinées à la jeunesse.

Dispute à la récré

Texte de
Magdalena

Illustrations
d'**Emmanuel Ristord**

Castor Poche

Ce matin, à la récré,
Noé montre son nouveau manteau.

Le nouveau manteau est un peu grand
mais il est beau.

Léa aime le nouveau manteau de Noé.
Noé est fier !

Basil se moque de Noé.

« C'est quoi ce manteau ?

Il est rigolo, mais il est trop grand pour toi ! »

dit Basil en tirant sur les manches.

Noé ne trouve pas son manteau rigolo.

Noé ne trouve pas son manteau trop grand.

Il le trouve beau.

Maintenant, Noé boude.

Léa défend son frère Noé, elle demande :
« Basil, qu'as-tu dit à Noé ? »

Les enfants forment un cercle autour de Noé.
« Pourquoi tu pleures, Noé ? » demandent-ils.

Bientôt, il y a deux groupes.
Un groupe est pour Noé.
L'autre est pour Basil.

Les enfants se font tous la tête.
Ils crient, ils se disputent.

Dans la cour de récré,
on ne s'entend plus.

« Pourquoi il y a une dispute ? »
demande Selma.

« C'est à cause de Basil ! crie Tim.

– Non, c'est à cause de Noé ! dit Réda.

– Oui, mais pourquoi ? » redemande Selma.

« Je ne sais pas trop.
Je crois que c'est pour une histoire
de manteau rigolo ! » dit Téo.

La maîtresse arrive et s'écrie :
« Basil, où est ton manteau ?
Avec ce froid, on ne va pas en récré
sans manteau.
Va vite chercher ton manteau ! »

Au retour de Basil,
tout le monde éclate de rire :
Basil a le même manteau que Noé.
Avec les mêmes manches trop longues !

Noé se met à rire. Et Basil aussi.
Puis Basil et Noé tirent sur leurs manches.

Ils marchent les bras en avant :
ils jouent aux fantômes.

Les filles font semblant d'avoir peur.
Elles crient, elles se sauvent en courant.

Maintenant Téo, Tim et Réda
sont assis par terre.
Ils font la tête.

« C'est nul ! dit Téo.
– On n'a pas des manteaux de fantômes.
On ne peut pas jouer, dit Tim.
– J'ai une idée, dit Réda,
si on échangeait les manteaux ? »

Quel méli-mélo !
Tim porte le manteau de Noé.
Noé porte le manteau de Réda.
Réda porte le manteau de Basil.
Et le plus rigolo ?
Basil porte le manteau de Léa.

Quand la récré est finie,
c'est la maîtresse qui fait une drôle de tête !

Noé dit à Basil :
« On s'est bien amusé ! »

Retrouve les histoires de **Je suis en CP**

pour t'accompagner tout au long de l'année !
3 niveaux de lecture correspondant aux grandes
étapes d'apprentissage, de la lecture accompagnée
à la lecture autonome.

Niveau 1 : premier trimestre
Niveau 2 : deuxième trimestre
Niveau 3 : troisième trimestre

Déjà parus :

| C'est la rentrée ! | Jour de piscine | La remplaçante | Les amoureux | La fête de l'école |
| NIVEAU 1 | NIVEAU 2 | NIVEAU 2 | NIVEAU 3 | NIVEAU 3 |